i

gan

Lois Rock
Addasiad Cymraeg: Brenda Wyn Jones
Cysodi: Ynyr Gruffudd Roberts
Darluniau: © 2003 Alex Ayliffe
Hawlfraint gwreiddiol: © 2003 Lion Publishing

Cyhoeddwyd gan:

Cyhoeddiadau'r Gair,
Ysgol Addysg PCB,
Safle'r Normal, Bangor
LL57 2PX

Cyhoeddwyd yn wreiddiol gan
Lion Publishing plc
Mayfield House, 256 Banbury Road,
Oxford OX2 7DH, England
www.lion-publishing.co.uk

ISBN 85994 514 7

CYHOEDDIADAU'R
GAIR

Beibl
y plant lleiaf

Addasiad Cymraeg gan
Brenda W. Jones

Lluniau gan
Alex Ayliffe

CYHOEDDIADAU'R
GAIR

cynnwys

Hen Destament

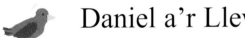

Testament Newydd

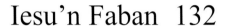

Ein Tad, dyma storïau o'r Beibl. Helpa fi i'w darllen.

Ein Tad, dyma storïau o'r Beibl. Helpa fi i'w deall.

Ein Tad, dyma storïau o'r Beibl. Helpa fi i'w dysgu.

New Testament

Yn y Dechrau

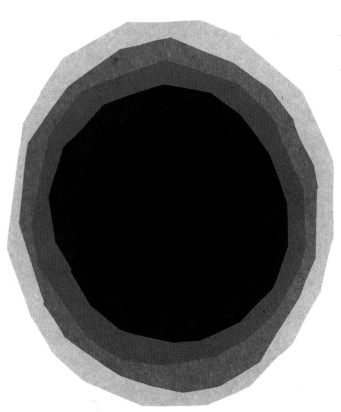

Roedd hi'n dywyll. Yn dywyll, dywyll iawn. Cyn dechrau'r byd roedd popeth yn ddu. Doedd dim i'w weld.

Yna dwedodd Duw: "Rhaid i mi wneud golau." Daeth y golau cyntaf un ac roedd popeth i'w weld yn glir.

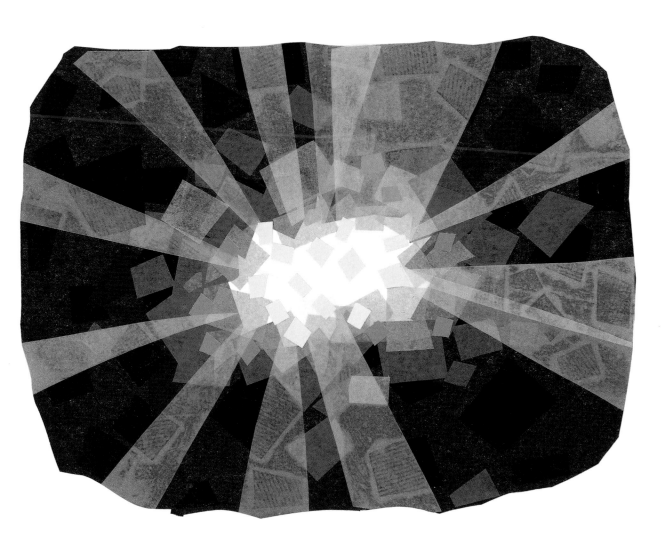

Gwnaeth Duw yr awyr fel to uwchben y môr. Yna plygodd y tir i wneud bryn a dyffryn.

Rhoddodd Duw blanhigion dros y ddaear: glaswellt a blodau, llysiau a choed.

Daeth yr haul i wenu yn y dydd, a'r lleuad a'r sêr yn y nos.

Yna gwnaeth Duw bob creadur.

Adar i hedfan yn yr awyr,

a physgod i nofio yn y môr.

Dros y tir daeth anifeiliaid i neidio a rhedeg, cropian a cherdded. Ac i wneud eu cartref mewn twll neu ffau, nyth neu goeden.

Yna gwnaeth Duw bobl – dyn a dynes.
"Croeso," meddai Duw. "Fy ffrindiau i
ydych chi ac rwyf am i chi fod yn hapus
a diogel. Cymerwch ofal o'r byd hardd
rwyf i wedi ei wneud i chi.

"Peidiwch â dewis gwybod am bethau drwg, neu byddan nhw'n eich gwneud yn drist."

Roedd popeth yn dda . . .

Yna, un diwrnod, roedd pobl am gael gwybod am bethau drwg, nid pethau da yn unig.

Daeth neidr i sibrwd wrthyn
nhw sut i wneud hynny: bwyta
rhyw ffrwyth roedd Duw wedi
eu siarsio i beidio â'i fwyta.

Daeth newid ar eu byd.
Nawr doedden nhw ddim yn
ffrindiau da i Dduw.

Ac roedden nhw'n
teimlo'n unig iawn
mewn byd creulon.
Roedd yn rhaid
gweithio'n galed am
bob dim.

"Sut gawn ni bethau'n ôl fel roedden
nhw?" medden nhw. A dyna beth mae
pobl yn ei ofyn byth ers hynny.

Noa a'r Arch

Amser maith yn ôl, edrychodd Duw i lawr ar y byd.

Roedd wedi gwneud byd da, ond roedd pobl yn ei ddifetha.

Roedden nhw'n ymladd o hyd ac o hyd.

"Rwy'n drist fy mod i wedi
gwneud y byd," meddai Duw.
"Rwyf am ei olchi i ffwrdd."

Yna gwelodd Duw fod yna un dyn da: Noa. "Rwyf am i ti adeiladu cwch mawr," meddai Duw wrth Noa. "Ei enw fydd 'Yr Arch'."

Doedd Noa ddim yn deall.
"Mae glaw mawr yn dod," meddai Duw.
"Rhaid i ti fynd â dy deulu i'r arch, i'w cadw'n ddiogel."

Dechreuodd Noa adeiladu'r arch.

Yna dwedodd Duw wrtho,
"Rhaid i ti fynd ag anifeiliaid
i'r arch hefyd. Tad a mam o
bob math o anifail."

Dyna brysur fu Noa a'i deulu,
yn gwneud popeth roedd Duw
wedi ei ofyn.

Yna fe ddaeth glaw mawr dros y
byd i gyd.

Ddydd ar ôl dydd ar ôl dydd fe
fu'r arch yn nofio ar wyneb y dŵr.

Ond o'r diwedd fe beidiodd y glaw. Dechreuodd y dŵr gilio.

Bwmp! Trawodd arch Noa yn erbyn mynydd ac aros yno. Anfonodd Noa gigfran allan.

Hedodd hi i ffwrdd a dal i hedfan nes mynd o'r golwg.

Yna anfonodd Noa
golomen allan. Y tro
cyntaf daeth honno'n ôl
yn syth.

Yr ail dro fe ddaeth yn ôl
gyda deilen yn ei phig. Yna'r
trydydd tro fe hedodd i ffwrdd
a ddaeth hi ddim yn ôl.

"Rhaid ei bod hi wedi dod o
hyd i dir," meddai Noa.

Cyn bo hir roedd y ddaear yn sych a daeth pawb allan o'r arch. Brysiodd yr anifeiliaid i ffwrdd i chwilio am gartref newydd.

"Diolch i ti, Dduw, am ein cadw ni'n ddiogel," meddai Noa.

Roedd Duw wrth ei fodd. "Edrych," meddai Duw. "Dacw enfys yn yr awyr. Mae'n dangos fy mod i am gadw'r byd i gyd yn ddiogel am byth."

Yr Hen Daid Abraham

Amser maith yn ôl roedd dyn o'r enw Abram. Roedd ei deulu'n gyfoethog iawn.

Roedd ganddyn nhw ddefaid
a geifr, gwartheg, mulod a
chamelod.

Un diwrnod dwedodd
Duw wrth Abram:

"Abram, rwyf am i ti adael cartref dy dad a mynd i wlad newydd.

"Rwyf wedi dy ddewis di i fod yn hen-hen-hen daid i lawer o bobl. Rwyf am i ti a dy deulu ddod â fy mendith i i'r byd i gyd."

Roedd Abram yn credu fod Duw
yn dweud y gwir. Cychwynnodd
ar unwaith gyda'i wraig Sarai, ei
deulu a'i anifeiliaid.

Fe ddaethon nhw i wlad Canaan.
"Yma y cei di wneud dy gartref
newydd," meddai Duw.

Gwlad dda oedd Canaan, ond
roedd yn rhaid i Abram ddod o
hyd i laswellt i'w anifeiliaid.

Roedd yn rhaid iddyn nhw symud o le i le. Yn aml roedd bywyd yn galed ac weithiau roedd hyn yn eu gwneud yn drist.

"Tybed oedd Duw yn dweud y gwir?" meddai Abram wrtho'i hun.

Un noson dywyll siaradodd Duw gydag
Abram eto. "Edrych i fyny ar y sêr yn yr
awyr . . . mae gormod i ti allu eu cyfrif,"
meddai Duw. "Fe fyddi di'n hen-hen-hen
daid i lawer o bobl . . . gormod i ti allu eu
cyfrif."

Roedd Abram yn credu fod Duw yn
dweud y gwir.

"Rwyf am roi enwau newydd i ti a Sarai," meddai Duw. "Abraham fydd dy enw di: yr hen-hen-hen daid Abraham.

"Sara fydd enw dy wraig: yr hen-hen-hen nain Sara."

Aeth llawer o flynyddoedd heibio, ond doedd Abraham a Sara byth wedi cael plant.

"Sut y galla i gredu fod Duw yn dweud y gwir?" meddai Abraham yn drist.

Edrychai Sara ar blant pobl eraill. "Mae'n anodd gen innau gredu fod Duw yn dweud y gwir," meddai hithau'n drist.

Yna o'r diwedd fe gafodd Abraham a Sara fachgen bach. Isaac oedd ei enw.

"Mae Duw wedi fy ngwneud i mor hapus, rwy'n gallu chwerthin unwaith eto," meddai Sara. Nawr roedd hi'n gwybod ei bod yn mynd i fod yn hen-hen-hen nain i lawer o bobl.

"Dyma'r amser i ni fod yn hapus," meddai Abraham. "Nawr rydyn ni'n gwybod fod Duw *yn* dweud y gwir."

Roedd yn siŵr ei fod am fod yn hen-hen-hen daid i lawer o bobl ryw ddydd.

Breuddwyd Joseff

Gwisgodd Joseff ei gôt newydd sbon. Roedd yn falch iawn ohoni.

Abraham oedd ei hen – hen daid.

Isaac oedd ei daid a Jacob oedd ei dad.

Jacob oedd wedi rhoi'r gôt hardd i Joseff.

Roedd yn well nag unrhyw beth gafodd brodyr Joseff gan Jacob.

Felly fe gredai Joseff ei fod yn bwysig, bwysig iawn.

Ond roedd ei frodyr mawr yn flin iawn am hyn.

Un diwrnod, roedd y brodyr yn gwylio defaid a geifr eu tad. Gofynnodd Jacob i Joseff fynd i weld fod popeth yn iawn.

Gafaelodd ei frodyr ynddo a chymryd ei gôt. Yna fe welson nhw ddynion yn mynd heibio ar eu camelod i wlad yr Aifft i werthu nwyddau.

A dyma nhw'n gwerthu Joseff i'r dynion.

Wedi mynd adref fe ddwedon nhw wrth eu tad fod Joseff wedi marw. Roedd Jacob yn drist iawn wrth glywed hyn.

Yn yr Aifft cafodd Joseff ei
werthu fel caethwas. Roedd
yn rhaid iddo weithio'n galed
iawn. Yna dwedodd rhywun
gelwydd am Joseff druan ac fe
gafodd ei anfon i'r carchar.

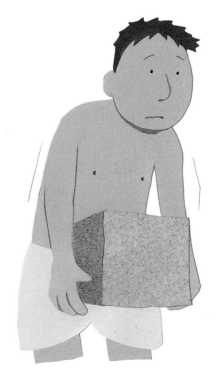

Doedd neb yno'n poeni
amdano. Ond helpodd
Duw Joseff i ddeall
breuddwydion a
dweud eu neges.

Un noson cafodd brenin yr Aifft
freuddwyd rhyfedd. Anfonodd
rhywun am Joseff.

Roedd Joseff yn deall neges breuddwyd y brenin.

"Fe fydd yna saith mlynedd gyda digon o ŷd, a saith mlynedd heb ddim," meddai. "Rhaid i chi chwilio am ddyn doeth i gadw'r ŷd yn y blynyddoedd da, er mwyn gofalu bod bwyd i'r bobl pan fydd pethau'n ddrwg."

Dewisodd y brenin Joseff.
Fe ddaeth yn ddyn cyfoethog
a phwysig iawn.

Pan ddaeth y blynyddoedd drwg, Joseff oedd yn gofalu am yr ŷd yn y stordai.

Daeth deg o ddynion o wlad bell i chwilio am fwyd.

Plygodd pob un o flaen y dyn pwysig a gofyn iddo werthu ŷd iddyn nhw.

Fe wyddai Joseff mai ei
frodyr oedd y dynion yma,
ond doedden nhw ddim yn ei
adnabod.

Beth oedd Joseff am wneud,
tybed – eu cosbi neu bod yn
garedig wrthyn nhw?

Yr hyn roedd Joseff eisiau'n fwy na dim oedd gweld ei frawd bach, Benjamin. Felly gwnaeth i'r lleill fynd adref i'w nôl.

Yna, o'r diwedd, dwedodd Joseff wrth ei frodyr pwy oedd e. "Duw sydd wedi trefnu hyn i gyd," meddai. "Cefais i fy anfon i'r Aifft er mwyn eich helpu chi heddiw."

Trefnodd Joseff i'r teulu i gyd
ddod i'r Aifft i fyw. Yno roedd
eu cartref newydd.

MOSES A'R BRENIN

Pan oedd Miriam yn eneth fach, roedd hi'n hoffi dawnsio a chwarae'r tamborîn. Hefyd roedd yn hoff o wrando ar stori gyda'i brawd bach, Aaron.

Roedd y ddau wrth eu bodd gyda'r stori am eu hen-hen-hen daid Abraham.

"Roedd Duw wedi addo i Abraham ein bod ni'n cael ein gwlad ein hunain," meddai eu mam. "Fe ddaeth ein teulu ni i'r Aifft amser maith yn ôl i chwilio am fwyd. Ond mae brenin yr Aifft wedi ein gwneud ni'n gaethweision.

"A nawr mae am ladd ein babanod, y bechgyn bach i gyd," wylodd.

"Beth am fy mrawd bach newydd i?" holodd Miriam mewn braw.

Fe benderfynon nhw ei guddio mewn basged yn y brwyn.

Yna gwelodd Miriam ferch y brenin yn dod o hyd i'r baban.

"Fe wna i'n siŵr ei fod yn ddiogel," meddai'r dywysoges. "Moses fydd ei enw, ond pwy gaf i i ofalu amdano?"

Cerddodd Miriam ati. "Fe alla i gael gwraig i ofalu am y baban i chi," meddai. Rhedodd adref i nôl ei mam.

Tyfodd Moses i fyny fel tywysog, ond roedd yn gwybod yn iawn mai caethweision oedd ei deulu.

Un diwrnod fe aeth Moses i drwbl wrth geisio helpu caethwas. Fe fu'n rhaid iddo redeg i ffwrdd.

Cafodd waith fel bugail.

Yn yr anialwch fe welodd Moses rywbeth rhyfedd iawn: fflamau mewn llwyn, ond doedd y llwyn ddim yn llosgi. Yna clywodd lais Duw: "Dos yn ôl i'r Aifft, Moses, a dwed wrth y brenin am ollwng fy mhobl yn rhydd. Fe wnaiff dy frawd dy helpu di."

Aeth Moses ac Aaron gyda'i gilydd i weld y brenin.

"Na, chaiff eich pobl ddim mynd yn rhydd," meddai hwnnw.

Er iddyn nhw ofyn a gofyn a
gofyn, "NA!" oedd yr ateb
bob tro.

"Duw sy'n gofyn i ti wneud
hyn," meddai Aaron a Moses.
"Os na wnei di, fe ddaw yna
helynt mawr."

Ac fe ddaeth helynt mawr
hefyd: llyffantod, pryfed,
locustiaid – ymhob man!

Roedd pob math o bethau
ofnadwy'n digwydd.

O'r diwedd fe anfonodd y brenin
am Moses ac Aaron. "Ewch i
ffwrdd ar unwaith!" meddai.

Helpodd Duw bawb i ddianc. I ffwrdd
â nhw i'r wlad roedd Duw wedi ei
haddo i'w hen-hen-hen daid Abraham.

Moses ac Aaron oedd yn arwain y ffordd.

Roedd Miriam yn dawnsio ac yn chwarae'r tamborîn, yn union fel cynt pan oedd hi'n eneth fach.

Josua Ddewr

Os oes perygl ar y ffordd, pwy
sy'n fodlon mentro ymlaen?

Rhywun cryf a dewr.

Rhywun fel Josua.

Wrth i Moses arwain ei bobl i'r
wlad roedd Duw wedi ei haddo
iddyn nhw, fe sylwodd fod
Josua'n fachgen dewr.

Yna, wrth i Moses ddysgu rheolau
Duw i'r bobl, fe sylwodd fod
Josua'n gwrando'n astud ar bob
gair.

"Rhaid i chi garu Duw yn fwy na
neb, a charu pawb arall fel chi eich
hun," meddai Moses.

Roedd Josua bob amser yn ufudd ac yn ceisio helpu eraill i fod yn ufudd hefyd.

Fe fu'r bobl yn crwydro am
lawer o flynyddoedd ar eu ffordd
i'r wlad newydd.

Ac roedd Moses yn mynd yn hen.
Dewiswyd Josua gan Moses i
arwain y bobl i'r wlad newydd.
Safodd Josua ar lan afon
Iorddonen, ar ffin y wlad newydd.

"Dysga'r bobl i fod yn ufudd i fy rheolau i," meddai Duw. "Yna fe wna i eich helpu i wneud eich cartref yn y wlad newydd."

Jericho oedd y ddinas gyntaf i'r bobl ei chyrraedd.
Roedd waliau uchel o amgylch y ddinas a milwyr
cryf yn ei gwarchod.

Dwedodd Duw wrth Josua beth i'w wneud.

Dwedodd Josua wrth y bobl am gerdded o gwmpas
y ddinas. Cerdded am un . . . dau . . . tri . . . pedwar
. . . pump . . . chwech . . . saith diwrnod cyfan.
Ac yna . . .

Chwythodd pob
offeiriad ei utgorn.

Bloeddiodd y
bobl i gyd
gyda'i gilydd.

Syrthiodd waliau
Jericho.

Aeth y bobl i mewn i'r ddinas.

O'r diwedd roedden nhw wedi
dechrau gwneud eu cartref yn y
wlad newydd.

Wedi iddyn nhw gael y wlad i
gyd, fe wnaeth Josua'n siŵr
fod y tir yn cael ei rannu'n
deg rhwng y bobl.

Yna gofynnodd i bawb ddod i gyfarfod pwysig.

"Rydyn ni wedi cyrraedd y wlad roddodd Duw i
ni," meddai. "Rydw i wedi penderfynu byw bob
amser fel y mae Duw am i mi wneud. Fe fyddaf
i'n caru Duw yn fwy na neb, ac yn caru pawb
arall fel fi fy hun. Beth
amdanoch chi?"
"Fe wnawn ninnau fel y
mae Duw yn dweud,"
meddai'r bobl.

Dafydd a'i Gân

Pan oedd Dafydd yn
fachgen bach, roedd
wrth ei fodd yn taflu
cerrig.

Yna, wrth iddo dyfu,
fe ddysgodd eu taflu
gyda ffon dafl.

Roedd yn un da am daflu – ac yn taro'r nod bob tro.

Bob nos byddai ei fam yn ei ddysgu am Dduw. Ei ddysgu i ddiolch i Dduw am bopeth oedd ganddo ac am yr holl bethau roedd yn gallu eu gwneud.

Pan oedd yn fachgen mawr,
cafodd waith yn gwylio'r
defaid.

Byddai'n taflu cerrig i
ddychryn anifeiliaid
gwyllt i ffwrdd.

Doedd dim byd yn codi ofn arno.
Byddai'n canu caneuon i ddiolch i Dduw
am bopeth oedd ganddo ac am
yr holl bethau roedd yn
gallu eu gwneud.

Un diwrnod aeth Dafydd i weld ei frodyr mawr. Milwyr oedden nhw, yn ymladd yn erbyn gelynion cas.

Cawr mawr oedd un o'r gelynion, yn gwisgo dillad milwr ac yn cario ffon fawr bigog.

"Goliath ydw i," gwaeddodd. "Os gall unrhyw un gael gwared ohonof i, yna fe fydd fy milwyr yn gadael! Pwy sydd am fentro?"

"Fi," meddai Dafydd, am ei fod yn credu
fod Duw gydag ef bob amser a'i
fod yn siŵr o'i helpu i ennill.

"Ond rwyt ti'n rhy fach," meddai ei frodyr.

"Rwyt ti'n rhy fach," meddai ei frenin.

"Ond rwy'n gallu ymladd yn
erbyn llew, arth a blaidd, ac mae
Duw gyda fi," meddai Dafydd.

"Cymer ofal," rhybuddiodd
pawb.

Ac i ffwrdd ag ef.

Cododd bum
carreg o'r llawr.

"Wnei di ddim niwed i mi
gyda'r cerrig bach yna!"
chwarddodd y cawr.

"O, gwnaf. Mae Duw gyda fi," meddai
Dafydd. Rhoddodd garreg yn y ffon dafl.

Taflodd hi . . .

a disgynnodd y
cawr i'r llawr.

Tyfodd Dafydd i fod yn frenin ar ei bobl. Roedd yn dal i ganu caneuon i Dduw, i ddiolch am bopeth oedd ganddo ac am yr holl bethau roedd yn gallu eu gwneud.

"O, Dduw, ti yw fy mugail,
Yn rhoi pob peth i mi,
Fy mwyd, fy niod, fy nillad –
Rwy'n ddiogel gyda thi.

Pan fydd y byd yn anodd,
Yn anodd iawn i mi,
Rwyt ti'n gofalu amdanaf –
Rwy'n ddiogel gyda thi.

O, Dduw, rwyt ti'n garedig,
Yn rhoi pob peth i mi,
Dy gariad sy'n fy ngwarchod –
Rwy'n ddiogel gyda thi."

Jona a'r morfil

Doedd Jona ddim yn hapus.

"Proffwyd ydw i," meddai. "Fy ngwaith i ydy dysgu pobl am ein Duw ni – y Duw sy'n ein caru ni.

"Ond nawr mae Duw am i mi fynd i weld ein gelynion mwyaf un – pobl Ninife. Pam?"

AM FOD DUW AM FADDAU
IDDYN NHW AM YR HOLL
BETHAU DRWG MAEN NHW'N
EU GWNEUD!

"Wel, af i ddim yno."

Rhedodd Jona i lawr i'r môr a
mynd ar gwch. Cwch i'w
gario'n bell, bell o Ninife.

Yna anfonodd Duw storm fawr.

"Fi sydd ar fai," llefodd Jona wrth y morwyr.
"Taflwch fi i'r dŵr, neu fe fydd y storm yn
ein suddo ni i gyd." A dyna wnaethon nhw –
ei daflu i'r dŵr.
Peidiodd y storm. Roedd y morwyr i gyd yn
ddiogel.

Suddodd Jona i lawr ac i lawr i'r môr. Daeth pysgodyn mawr anferth a'i lyncu.

Morfil oedd hwn ac fe wyddai
Jona mai Duw oedd wedi ei
anfon.

"Helpa fi, helpa fi!" llefodd.

Poerodd y morfil Jona
allan ar dir sych.

Unwaith eto dwedodd Duw wrtho am fynd i Ninife.
Y tro yma fe aeth yn ufudd.

"Mae gen i neges i chi gan
Dduw!" gwaeddodd.
"Peidiwch â gwneud
pethau drwg. Os na
wnewch chi beidio, fe
fydd pethau ofnadwy'r
digwydd i chi."

Clywodd y brenin ei neges.

"Rhaid i bawb beidio bod yn ddrwg," meddai.

Felly fe wnaeth Duw faddau i bawb, ond roedd hynny'n gwylltio Jona'n fawr.

Cododd babell fach iddo ef ei hun ac eistedd ynddi'n ddig iawn.

"Pam rwyt ti'n ddig?" holodd Duw.

"Roedd pobl Ninife'n gwneud pethau drwg," meddai Jona. "Rwyt ti'n rhy garedig wrthyn nhw."

Gwnaeth Duw i blanhigyn hardd dyfu
o gwmpas pabell Jona.

Roedd yn rhoi cysgod
iddo rhag yr haul.

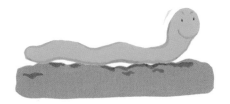

Yna anfonodd Duw bryfyn i
fwyta'r blodau i gyd.

Roedd yr haul yn boeth a'r gwynt yn
boethach fyth. Gwnaeth hyn Jona'n fwy dig
nag erioed.

"Pam rwyt ti'n ddig
nawr?" holodd Duw.
"Am fod y planhigyn
wedi marw," cwynodd
Jona.

"Rwyt ti'n poeni am blanhigyn," meddai
Duw. "Ac rwyf innau'n poeni hefyd, yn
poeni am holl bobl Ninife a'u hanifeiliaid.
Er iddyn nhw fod yn ddrwg unwaith,
rwy'n dal i'w caru nhw."

Daniel a'r Llewod

Roedd Daniel bob amser yn gwneud yr hyn oedd yn iawn.

Gweddïo ar Dduw bob amser.

Bod yn ufudd i Dduw bob amser.

Roedd Daniel yn gwneud yr hyn oedd yn iawn, hyd yn oed pan oedd popeth yn mynd o chwith.

Un diwrnod trist, collodd plant Abraham frwydr yn erbyn milwyr y gelyn.

Roedd Daniel yn un o'r bobl gafodd eu cario'n bell i ffwrdd, i ddinas Babilon.

Roedd popeth yn mynd o chwith.

Ond daliai Daniel i wneud yr hyn oedd yn iawn.

Roedd yn dilyn rheolau Duw bob amser.

Gwelodd brenin Babilon fod Daniel yn ddyn da. Rhoddodd waith pwysig iawn iddo.

Ond roedd hyn yn gwneud i rai pobl deimlo'n gas wrth Daniel druan.

Fe aethon nhw at y brenin.

"O, frenin," medden nhw. "Rwyt ti'n frenin mor fawr ac mor ardderchog. Gwna reol i gosbi unrhyw un sy'n meddwl fod rhywun arall yn fwy pwysig na ti."

"Dyna syniad da," meddai'r brenin.

"Dwed y bydd unrhyw un sy'n torri'r rheol newydd yn cael ei daflu i'r llewod," meddai'r dynion.

"Dyna syniad da arall," meddai'r brenin.

Fe wyddai Daniel fod popeth yn mynd o chwith.

Ond aeth ymlaen i wneud yr hyn oedd yn iawn – dal i weddïo ar Dduw a bod yn ufudd iddo.

Daeth y dynion i'w wylio er mwyn gweld beth roedd yn ei wneud.

Yna fe aethon nhw'n syth i achwyn wrth y brenin.

"Mae Daniel yn gweddïo ar ei Dduw. Mae'n credu fod ei Dduw yn fwy pwysig na ti."

Roedd y brenin yn drist. Nawr fe fyddai'n rhaid iddo gosbi Daniel.

Cafodd Daniel ei daflu i bwll yn llawn o lewod llwglyd.

Roedd popeth yn mynd o chwith.

Ond fe aeth Daniel ymlaen i
wneud yr hyn oedd yn iawn –

gweddïo ar Dduw a bod yn
ufudd iddo.

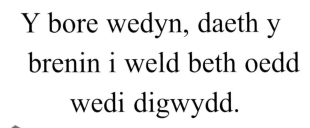

Y bore wedyn, daeth y brenin i weld beth oedd wedi digwydd.

Roedd Daniel yn fyw.

Doedd Duw ddim wedi gadael i'r llewod gyffwrdd ynddo.

"Hwrê!" meddai'r brenin. "Fe wna i reol newydd sy'n dweud fod yn rhaid i bawb addoli Duw Daniel.

Fe fydd Daniel yn ddiogel, ond fe gaiff y dynion drwg eu cosbi." Roedd popeth yn mynd yn dda, ac roedd Daniel yn dal i wneud yr hyn oedd yn iawn.

Gweddi Nehemeia

Roedd Nehemeia'n gweithio ym mhalas brenin Persia. Un diwrnod roedd yn teimlo'n drist.

"Pam rwyt ti mor drist?" holodd ei feistr.

Gweddïodd Nehemeia ar Dduw. Yna atebodd, "Mae gwlad fy mhobl i yn bell i ffwrdd. Cafodd ein dinas hardd ei chwalu mewn rhyfel. Ond nawr mae'r rhyfel drosodd ac mae fy mhobl eisiau cael mynd yn ôl i'w hadeiladu eto."

Gadawodd y brenin i
Nehemeia fynd yn
rhydd er mwyn
helpu i adeiladu'r
ddinas – dinas
fawr Jeriwsalem,
yng ngwlad yr
hen-hen-hen
daid Abraham.

Aeth Nehemeia o
gwmpas y ddinas ar
gefn asyn, gan syllu
ar y waliau wedi eu
chwalu i'r llawr.

Yna aeth i gyfarfod y bobl i gyd. "Duw
sydd wedi fy anfon i yma," meddai.

"Rwyf am godi'r ddinas yn ei hôl."

"Fe wnawn ni dy
helpu di," meddai'r
bobl.

Gweithiodd pawb yn galed a dechreuodd y waliau dyfu . . .

a thyfu . . .

Daeth pobl eraill i wylio ac i chwerthin yn gas. "Allwch chi byth ail godi dinas sydd wedi ei chwalu fel hyn."

Gweddïodd Nehemeia ar Dduw. Yna dwedodd wrth y bobl, "Peidiwch â phoeni beth mae pobl eraill yn ei feddwl."

Clywodd Nehemeia fod rhai pobl eisiau difetha'r gwaith i gyd.

"Peidiwch ag ofni," meddai eto. "Fe wnaiff Duw ein helpu ni."

Dwedodd wrth hanner y bobl am fynd ymlaen gyda'r gwaith adeiladu.

Roedd y lleill yn barod i warchod y gweithwyr – gyda chleddyfau a ffyn pigog.

O'r diwedd roedd y gwaith wedi ei orffen. Daeth pawb i gyfarfod pwysig.

Darllenodd yr offeiriad y rheolau roedd Duw wedi eu rhoi i Moses. "Rhaid i chi garu Duw yn fwy na neb, a charu pawb arall fel chi eich hun."

Yna dwedodd pawb weddi:

"O, Dduw, ti wnaeth y byd.
Ti wnaeth ddewis Abraham i fod yn dad
i'n pobl ni i gyd.
Ti wnaeth ddewis Moses i'n harwain ni o'r Aifft.
Ti ddaeth â ni'n ôl i'n gwlad.
Ti roddodd reolau da i ni.
Fe fuon ni'n anufudd i ti weithiau
ac fe aeth popeth o chwith.
Mae'n ddrwg gennym ni am
hyn ac rydyn ni'n addo cadw dy reolau
di o hyn ymlaen."

Roedd Nehemeia'n hapus am
fod Duw wedi ateb ei weddïau i
gyd.

Rwy'n hoffi cael stori am
Iesu'n ei grud,
Stori am Iesu a'i ffrindiau i gyd;
Stori am ddafad a stori am ddyn,
Rwyf am gael eu clywed a
darllen pob un.

Testament Newydd

Iesu'n Faban

Mewn tref fach o'r enw Nasareth roedd geneth ifanc yn byw. Mair oedd ei henw ac roedd hi'n edrych ymlaen at gael priodi.

Un diwrnod daeth angel ati.

"Paid ag ofni," meddai'r angel wrthi.

"Mae Duw wedi dy
ddewis di ar gyfer rhywbeth
arbennig iawn. Rwyt ti am
gael bachgen bach. Mab Duw
fydd hwn. Iesu fydd ei enw ac fe
ddaw â bendith Duw i'r byd i gyd."

Roedd Mair wedi synnu, ond fe ddwedodd
ar unwaith, "Fe wnaf i fel y mae
Duw yn ei ddweud."

Roedd Mair yn edrych ymlaen at gael priodi Joseff. Ond pan glywodd Joseff am neges yr angel, roedd yn poeni'n fawr.

Yna daeth angel ato mewn breuddwyd. "Cymer ofal o Mair," meddai wrtho. "Mab Duw ei hun fydd y baban bach yma. Fe fydd yn dod â bendith Duw i'r holl fyd."

Doedd Joseff ddim yn deall, ond fe
wnaeth addo cymryd gofal o Mair.

Yn fuan wedyn roedd yn rhaid
i'r ddau fynd i Fethlehem, i roi
eu henwau ar restr o bobl y
wlad i gyd.

Roedd y dref yn brysur
iawn. Yr unig le i aros
oedd mewn ystafell yn
llawn o anifeiliaid.

Yno cafodd baban Mair ei eni. Lapiodd
Mair y bachgen bach mewn dillad cynnes
a'i roi i gysgu mewn preseb.

Allan yn y caeau roedd
bugeiliaid yn gwarchod eu
defaid. Yn sydyn daeth angel
atyn nhw.

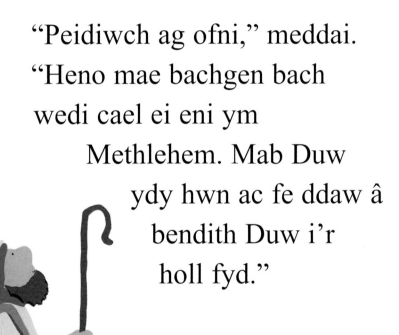

"Peidiwch ag ofni," meddai.
"Heno mae bachgen bach
wedi cael ei eni ym
Methlehem. Mab Duw
ydy hwn ac fe ddaw â
bendith Duw i'r
holl fyd."

Yna canodd yr angylion i gyd gân
hapus.

Aeth y bugeiliaid i Fethlehem.

Yno roedd Mair a'i baban bach, yn
union fel roedd yr angel wedi ei
ddweud.

Yn bell, bell i ffwrdd, gwelodd y
doethion seren newydd yn yr awyr.

"Dyna arwydd fod brenin newydd wedi
cael ei eni," medden nhw. "Rhaid i ni
fynd i chwilio amdano."

Daeth y seren â nhw i'r fan lle
roedd Iesu.

Roedd ganddyn nhw anrhegion
iddo – aur, thus a myrr.

Gwenodd Mair. Anrhegion i frenin oedd
y rhain.

"Y brenin sy'n mynd i ddod â bendith
Duw i'r byd," meddai wrthi ei hun.

Iesu'n Tyfu'n Ddyn

Yn Nasareth roedd Iesu'n byw.

Fe ddysgodd yr hen storïau am Noa ac Abraham a llawer mwy.

Dysgodd am Moses a'r rheolau roedd
Duw wedi eu rhoi iddo: "Rhaid i chi
garu Duw yn fwy na neb, a charu pawb
arall fel chi eich hun."

Bob blwyddyn byddai'r
bobl yn cofio stori
Moses yn dianc o'r
Aifft. Roedd ganddyn
nhw ŵyl arbennig,
sef y Pasg.

Y lle gorau i fod ar ŵyl y Pasg oedd yn
ninas fawr Jeriwsalem. Pan oedd Iesu'n
ddeuddeg oed, cafodd fynd yno gyda
Mair a Joseff a llawer o bobl eraill o
Nasareth.

Yn y Deml roedd rhan fwyaf pwysig yr
ŵyl yn digwydd.

Yno roedd yr athrawon doeth yn eistedd,
yn siarad am yr hen storïau ac am y
rheolau roddodd Duw i Moses.

Ar ddiwedd yr ŵyl, cychwynnodd pawb adre'n ôl i Nasareth.

Wedi iddyn nhw deithio peth o'r ffordd gofynnodd Mair, "Ble mae Iesu? Dydw i ddim wedi ei weld drwy'r dydd."

Doedd neb arall wedi ei weld chwaith.

Rhuthrodd Mair a Joseff yn ôl
i Jeriwsalem.

O'r diwedd fe gawson nhw hyd
iddo. Roedd yn eistedd gyda'r
athrawon doeth, yn siarad am yr
hen storïau a'r rheolau.

"Pam rwyt ti yma o hyd?"
holodd Mair. "Roedden ni'n
poeni amdanat ti."

"Pam?" atebodd Iesu.
"Doeddech chi ddim yn
gwybod fod yn rhaid i mi fod
yn nhŷ fy Nhad?"

Doedd Mair ddim yn deall yn iawn, ond roedd hi'n falch fod Iesu'n ddiogel.

Yna aeth Iesu adref a thyfu'n ddyn. Roedd yn fab da i'w rieni. Dysgodd sut i fod yn saer, fel ei dad.

Yna, un diwrnod, fe adawodd i
wneud gwaith newydd.

Fe ddaeth Iesu yn athro doeth.
Helpodd bobl i ddeall yr hen
storïau a'r rheolau. Roedd am i
bobl ddod i adnabod Duw yn
well.

Roedd am iddyn nhw wybod
cymaint roedd Duw yn eu caru.

Iesu a'i Ffrindiau

Athro da oedd Iesu, yn dysgu pobl am Dduw. Dysgodd fod Duw yn eu caru ac am eu cael yn ffrindiau iddo.

"Dewch gyda fi," meddai Iesu. "Dewch i wrando ar fy ngeiriau ac i helpu i ddweud y newydd da."

"Fe ddown ni," meddai'r pysgotwyr. Ac i ffwrdd â nhw i ddilyn Iesu, gan adael eu cwch a'r offer pysgota.

"Fe ddof i hefyd,"
meddai'r casglwr trethi.
Ac i ffwrdd ag ef i ddilyn
Iesu, gan adael ei arian
a'i ffrindiau barus ar ôl.

"Fe ddof i hefyd," meddai'r
wraig gyfoethog, "am fod
Iesu'n dangos i bobl sut i fyw
yn iawn. Ac fe hoffwn i
helpu."

Roedd merched eraill yn dilyn
Iesu hefyd, rhai'n gyfoethog a
rhai'n dlawd.

"Fe ddown ninnau hefyd,"
meddai'r fam a'r tad.
"Roedd ein geneth fach
ni wedi marw . . ."

"Ond fe wnaeth Iesu fi'n
fyw unwaith eto,"
dawnsiodd yr eneth fach.

Dawnsiodd pobl eraill hefyd: pobl oedd yn methu cerdded o gwbl nes i Iesu eu gwneud yn iach.

Canai adar y to yn hapus yn y coed.

Yna hedfan i lawr at Iesu,

gan gasglu o gwmpas ei draed.

Roedden nhw'n gwybod rywsut
fod Iesu'n eu caru ac yn gofalu
amdanyn nhw hefyd.

Daeth mamau at Iesu. "Rydyn ni eisiau i
Iesu ddweud gweddi dros ein plant,"
medden nhw.

"Ddim heddiw," meddai rhai o'i ffrindiau. "Mae'n rhy brysur."

"Na, dydw i byth yn rhy brysur," meddai Iesu. "Mae croeso i blant ddod ataf fi bob amser, am fod Duw yn caru plant.

"Felly rhaid i fy ffrindiau i
gyd garu plant hefyd a rhoi
croeso iddyn nhw bob amser."

Daeth llawer o bobl i weld Iesu ac i wrando ar ei eiriau. Athrawon oedd rhai o'r bobl hyn.

Doedd y rheiny ddim yn rhy siŵr eu bod yn hoffi ei neges.

Un diwrnod roedd Iesu'n
siarad gyda'r bobl mewn tŷ
ac roedd y lle'n llawn.

Ond roedd mwy o
bobl am gael ei
weld.

"Fe glywson ni ei fod yn gallu gwneud
gwyrthiau i wella pobl," medden nhw.
"Mae ein ffrind yn methu cerdded. Felly
rydyn ni wedi ei gario yma ar ei fat
cysgu er mwyn i Iesu ei wella."

Ond doedden nhw ddim yn
gallu mynd i mewn i'r tŷ.
Doedd dim lle.

Y tu allan i'r tŷ roedd grisiau'n arwain i'r to fflat.

Cariodd y dynion eu ffrind i fyny i'r to.

Yna gwneud twll yn y to a'i ollwng
i lawr ar raffau,

yn union wrth draed Iesu.

Gwenodd Iesu arno. "Mae popeth drwg wnest ti wedi cael ei faddau," meddai.

"Does gan neb hawl i ddweud hynny, ond Duw ei hun," meddai'r athrawon wrth ei gilydd.

Gwenodd Iesu. Roedd am i bobl ddeall fod Duw yn eu caru ac yn maddau iddyn nhw. Ei fod am eu gwneud yn iach ac am fod yn ffrindiau gyda nhw.

"Saf ar dy draed a cherdded," meddai wrth y dyn.

Cododd y dyn i fyny a
cherdded adref. Roedd yn
gallu cario ei fat
cysgu hefyd.

"Mae Duw wedi gwneud
pethau gwych i mi," meddai
wrth ei ffrindiau.

cwch yn y storm

Roedd Iesu'n brysur iawn.
Roedd llawer o bobl am gael
ei weld drwy'r amser.

Un noson, dwedodd wrth ei ffrindiau gorau, "Dewch i'r cwch ac fe awn ni ar draws y llyn i'r ochr arall."

I mewn â nhw i'r cwch gyda Iesu.

Roedd Iesu wedi blino ac fe aeth i gysgu.

Yna'n sydyn daeth gwynt cryf o
rywle.

Roedd y tonnau'n taro yn erbyn y
cwch a'i ysgwyd.

Yna dechreuodd y dŵr
lifo i mewn i'r cwch.

"Deffra! Helpa ni!" gwaeddodd ffrindiau Iesu arno. "Fe fydd y cwch yn suddo a ninnau'n boddi!"

Safodd Iesu yn y cwch.

"Byddwch yn dawel," meddai wrth y tonnau.

"Bydd yn llonydd," meddai wrth y gwynt.

Yn sydyn roedd pobman yn
dawel; roedd pob perygl ac ofn
wedi mynd.

Yna daeth y bore, yn braf a chlir.

"Pam roeddech chi mor ofnus?"
holodd Iesu. "Dydych chi ddim yn
gwybod fod Duw yn gofalu
amdanoch chi?"

Fe wyddai ffrindiau Iesu eu bod
yn ddiogel, ond nawr roedden
nhw'n fwy ofnus nag erioed.

"Pwy ydy ein ffrind Iesu?"
medden nhw wrth ei gilydd.
"Rhaid ei fod yn rhywun arbennig
iawn. Mae hyd yn oed y gwynt a'r
tonnau'n gwrando arno."

Samariad caredig

Un tro daeth athro i ofyn cwestiwn i Iesu: "Beth ydy'r ffordd iawn i fyw?"

"Athro wyt ti," meddai Iesu wrtho. "Beth mae'r hen storïau a'r rheolau yn ei ddweud?"

"Rhaid i ni garu Duw yn fwy na neb, a charu pobl eraill fel ni ein hunain."

"Rwyt ti'n iawn," meddai Iesu. "Felly rwyt ti'n gwybod yr ateb yn barod."

"Ond pwy ydy'r bobl eraill yma?" holodd y dyn.

Dwedodd Iesu stori wrtho.

"Un tro aeth dyn ar daith.

"Ar y ffordd daeth lladron drwg ato.
Fe aethon nhw â phopeth oddi arno a'i
guro'n greulon.

"Yna ei adael yn gorwedd ar ochr y ffordd.

"Daeth offeiriad o'r deml heibio.

"Pan welodd hwn y dyn druan,
brysiodd yn ei flaen heb wneud
dim i'w helpu.

"Yna daeth gweithiwr o'r deml
heibio.

"Edrychodd ar y dyn ac yna
brysiodd yn ei flaen heb
wneud dim i'w helpu.

"Yna daeth Samariad heibio."

"Pobl ddrwg ydy'r Samariaid,"
meddai rhywun oedd yn
gwrando. "Dydyn nhw ddim yn
ein hoffi ni, a dydyn ni ddim yn
eu hoffi nhw."

Aeth Iesu ymlaen â'i stori:
"Gwelodd y Samariad y dyn ac
aeth ato i'w helpu.
Rhwymodd ei friwiau.

"Yna cododd y dyn ar gefn ei asyn a mynd ag ef i westy.

"Rhoddodd arian i ddyn y gwesty. 'Gofala amdano nes dof i'n ôl yma,' meddai. 'Os bydd angen mwy o arian, fe dalaf i ti bryd hynny.'"

Yna gofynnodd Iesu gwestiwn i'r athro:
"Pwy wnaeth ddangos y ffordd iawn i
garu pobl eraill?"

"Y dyn oedd yn garedig," oedd ei ateb.

"Dos, a gwna dithau yr un
fath," meddai Iesu wrtho.

Dafad
ar Goll

Roedd Iesu'n falch o weld pob math o bobl. Doedd dim ots ganddo sut bobl oedden nhw.

Roedd rhai'n gyfoethog am eu bod yn anonest.

Roedd rhai wedi bod yn bobl ddrwg iawn.

204

Roedd rhai mor afiach, doedd neb am fynd yn agos atyn nhw.

Roedd hyn yn synnu'r athrawon. "Pa fath o ddyn ydy Iesu os ydy o am fod yn ffrindiau gyda phobl fel hyn?" medden nhw.

Dwedodd Iesu stori wrthyn nhw.

"Dychmygwch fod gennych chi
gant o ddefaid. Rydych chi'n
gofalu amdanyn nhw'n dda.

"Yna un diwrnod, pan
fyddwch chi'n eu cyfrif,
mae un ar goll.

"Ble'r aeth hi tybed?
Beth wnewch chi?

"Gadael y naw deg naw i bori yn y
cae.

"A mynd i chwilio am yr un
sydd ar goll.

"Edrych fan yma . . .

edrych fan draw .

edrych ym mhob twll a chornel.

"Wedi dod o hyd iddi, rydych
chi mor hapus wrth afael ynddi
a'i chario adref.

"Yna rydych chi'n galw ar eich ffrindiau, 'Byddwch yn hapus gyda fi! Roedd y ddafad yma ar goll, ond nawr mae hi'n ddiogel!'

"Mae Duw yn debyg i'r bugail yna," meddai
Iesu. "Mae'n gweld y bobl sy'n byw yn dda.
Mae hefyd yn gweld y bobl sydd wedi crwydro
oddi wrth yr hyn sy'n dda – ac mae'n gofalu
amdanyn nhw hefyd.

"Mae Duw yn hapus pan mae'n dod o hyd i un o'r rhain a dod â hi adref. Yn fwy hapus nag wrth weld y naw deg naw eraill sy'n ddiogel yn barod."

Gweddi Bob Dydd

Roedd Iesu'n hoffi gweddïo ar Dduw.

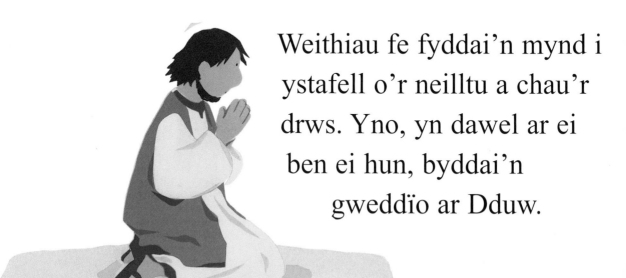

Weithiau fe fyddai'n mynd i ystafell o'r neilltu a chau'r drws. Yno, yn dawel ar ei ben ei hun, byddai'n gweddïo ar Dduw.

Weithiau fe fyddai'n codi'n
fore a mynd am dro yn y
bryniau. Yno, yn dawel ar ei
ben ei hun, byddai'n gweddïo
ar Dduw.

"Wnei di ein dysgu ni i weddïo?"
gofynnodd ei ffrindiau.

"Dyma weddi i chi ei dweud
bob dydd," meddai Iesu.

"Ein Tad yn y nefoedd, tyrd i fod yn frenin arnon ni; wedyn fe fydd pawb yn gwneud fel yr wyt ti'n ei ddweud."

"Fe wn i beth mae hynny'n ei feddwl," meddai un o'i ffrindiau. "Duw ydy ein tad ni. Ac rydyn ni am i bobl fod yn ufudd iddo, er mwyn i'r byd fod yn lle gwell i fyw."

"Yna dwedwch hyn," meddai
Iesu:

"Rho i ni ein bwyd bob dydd."

"Ie, wir. Allwn ni ddim byw
heb fwyd," meddai rhywun.

"Bwyd sy'n gwneud ein corff yn gryf," meddai un arall. "Ond rydyn ni angen Duw hefyd i wneud ein meddwl yn gryf."

Roedd pawb yn cytuno.

"Yna gofynnwch i Dduw wneud
hyn," meddai Iesu.

"Maddau i ni am y pethau drwg rydyn
ni'n eu gwneud, fel rydyn ni'n
maddau i bawb sy'n ein brifo."

"Oes raid i ni faddau i bawb drwy'r amser?" holodd ei ffrind Pedr. "Rwy'n gwneud fy ngorau, ond mae rhai pobl yn dal i wneud pethau drwg."

"Rhaid i chi faddau i bawb, dro ar ôl tro ar ôl tro," meddai Iesu.

"Yna dwedwch hyn," meddai Iesu:

"Cadw ni rhag popeth drwg."

Roedd pawb yn edrych braidd yn drist.

"Ydy pethau drwg yn digwydd i bobl sy'n byw fel y mae Duw yn ei ddweud?" holodd rhywun.

Plygodd Iesu ei ben a rhoi ochenaid fach.
Roedd yn gwybod fod pethau drwg am ddod.

"Ond mae Duw gyda ni bob amser,"
meddai un arall.

Yna roedd pawb yn hapus.

Dod i'r Diwedd

Y gwanwyn oedd hi, ar y ffordd i Jeriwsalem. Roedd llawer o bobl yn mynd i ddathlu gŵyl y Pasg yn y Deml yno.

Daeth Iesu i'r golwg, yn teithio ar gefn asyn.

Cafodd groeso brenin gan y bobl.

Roedden nhw'n chwifio dail y palmwydd ac yn gweiddi hwrê. "Mae'n rhaid fod Iesu wedi dod i wneud y byd yn lle gwell i fyw," medden nhw wrth ei gilydd.

Aeth Iesu i'r Deml. Roedd y lle fel marchnad swnllyd gyda phobl yn gwerthu popeth ar gyfer yr ŵyl.

Gwelodd Iesu eu bod yn codi pris llawer
rhy uchel am y pethau yma.

Yn sydyn dechreuodd dynnu
popeth i lawr.

"Rhag cywilydd i ti!" gwaeddodd y bobl oedd yn
gofalu am y Deml.

"Lle i weddïo ydy'r Deml i fod," meddai Iesu.
"Nid lle i dwyllo pobl."

Roedd y bobl bwysig yn flin iawn wrtho.

"Rhaid i ni gael gwared â Iesu," medden nhw.
"Rhaid i ni gael cynllun."

Ymhen ychydig ddyddiau roedd Iesu gyda'i
ffrindiau yn cael parti i ddathlu'r ŵyl.

Ond roedd ganddo rybudd iddyn nhw.
"Mae amser anodd yn dod.

Rhaid i chi ddal i garu eich gilydd."

Rhannodd y bara a'r gwin gyda nhw.
Dwedodd wrthyn nhw am rannu bara a
gwin bob amser a chofio amdano yn y
ffordd arbennig yma.

Yna aeth Iesu allan i fan tawel i
weddïo.

"Duw Dad," meddai,
"dydw i ddim eisiau i'r amser
anodd yma ddod, ond fe wnaf i
fel rwyt ti'n ei ddweud."

Roedd un o ffrindiau Iesu wedi
cytuno i helpu i gael gwared ag
ef.

Daeth hwnnw gyda'r milwyr i
ddal Iesu.

Y diwrnod wedyn cafodd Iesu ei ladd, wedi ei hoelio ar groes bren.

Gyda'r nos daeth ychydig o'i ffrindiau a mynd â'i gorff i'w gladdu.

"Rhaid i ni ddweud ffarwél," meddai un.

Roedd yr awyr yn mynd yn ddu. "Dyma ddiwedd ar Iesu yn ceisio gwneud y byd yn lle gwell i fyw," medden nhw gan wylo.

Newydd Da

Dydd Sul oedd hi ac roedd
ffrindiau Iesu'n drist iawn.
Roedd Iesu wedi eu gadael.

"Rhaid i ni guddio," meddai rhai. "Neu fe fyddwn ni mewn trwbl am ein bod yn ffrindiau iddo."

"Ond rhaid i ni fynd yn ôl at y bedd yn gynta," meddai'r merched. "I ddweud ffarwél."

Yn gynnar y bore wedyn aeth y merched
at y bedd. Ond roedd wedi cael ei agor.

Y tu mewn roedd dau angel mewn dillad
gwynion disglair. "Dydy Iesu ddim yma,"
medden nhw. "Mae'n fyw eto."

Rhedodd y merched i ddweud wrth
y lleill, ond doedd neb yn eu credu.

Y noson honno roedd dau o ffrindiau Iesu yn teithio adref o Jeriwsalem. Roedd dyn arall yn mynd yr un ffordd â nhw. Ar y daith roedden nhw'n dweud wrtho am Iesu.

"Aros gyda ni," medden nhw wrtho ar ôl cyrraedd adref.

Wrth ddechrau bwyta swper, dwedodd y dyn weddi a thorri'r bara i'w rannu.

Roedd y ddau ffrind wedi synnu. Iesu
oedd y dyn! Ond mewn eiliad roedd
wedi eu gadael.

Gwelodd ffrindiau eraill Iesu hefyd.

Rhannodd fwyd gyda nhw.

Helpodd nhw i ddeall fod Duw yn
ffrind pan mae pobl yn cael
bywyd anodd, a'i fod yn gallu
gwneud popeth yn iawn unwaith
eto.

Rhoddodd waith pwysig iddyn nhw –
dweud y neges yma wrth bobl y byd i gyd.

Ar ôl hyn aeth Iesu i'r nefoedd.

Ond helpodd Duw ei ffrindiau i ddweud y neges bwysig.

Nawr roedden nhw'n teimlo'n gryf.
Roedden nhw'n gwybod beth i'w
wneud, sef

dweud y neges bwysig wrth unrhyw
un oedd yn barod i wrando.

"Daeth Iesu aton ni o'r nef,"
medden nhw.

"Fe ddaeth i ddweud wrthym
ni gymaint y mae Duw yn ein
caru ni. Fe geisiodd pobl ei
rwystro, ond methu wnaethon
nhw."

"Mae Iesu'n fyw ac mae
hynny'n profi fod ei neges yn
wir: fod Duw am i bawb beidio
â bod yn ddrwg a dechrau
byw'n dda. Mae Duw am
i ni i gyd fod yn
ffrindiau iddo."

"Mae hynny'n cynnwys pawb
sydd yn y byd, heddiw ac am
byth."

Ac mae pobl yn dal i ddweud
y neges bwysig yma.

Geirfa

Dyma'r geiriau pwysig yn eich Beibl. Mae rhif y dudalen yn dweud wrthych ble i gael gwybod mwy am bob gair.

A

Aaron Brawd Moses 58

Abram, Abraham Y dyn gafodd ei ddewis gan Dduw i fod yn hen-hen-hen daid i'r bobl i gyd. 34,118

Adda Dyma enw'r dyn cyntaf un. 10

angel Yr angel ddaeth â'r newydd da fod Iesu wedi cael ei eni. 132

Mae'r angylion yn hapus pan mae pobl ddrwg yn newid i fod yn dda. 204

Yr angylion ddaeth â'r newydd da fod Iesu wedi dod yn ôl yn fyw. 240

Aifft Aeth teulu Joseff i'r Aifft er mwyn cael bwyd. 46 Ymhen llawer o amser wedyn roedd plant eu plant yn gaethweision yno.
Helpodd Moses nhw i ddianc o'r wlad. 58

anifeiliaid Gwnaeth Duw y byd yn llawn o anifeiliaid. 10 Dangosodd Duw i Noa sut i achub yr anifeiliaid rhag y dŵr mawr. 22
Roedd gan Abraham lawer o anifeiliaid. 34
Byddai Dafydd yn dychryn anifeiliaid gwyllt er mwyn gwarchod ei ddefaid. 82
Cafodd Iesu ei eni mewn ystafell yn llawn o anifeiliaid. 132

anrhegion Daeth y doethion ag anrhegion i Iesu. 132

arch Yr arch oedd enw cwch Noa. 22

asyn Aeth Nehemeia ar gefn asyn o gwmpas Jeriwsalem.118

Rhoddodd y Samariad caredig y dyn truan ar gefn ei asyn. 192
Teithiodd Iesu ar gefn asyn i Jeriwsalem. 228

B

baban Y baban Moses 58
Y baban Iesu 132
Babilon Y ddinas lle roedd Daniel yn byw. 106
bara Rhannodd Iesu fara a gwin gyda'i ffrindiau y noson cyn iddo farw. 228
Rhannodd Iesu fara gyda dau ffrind arall y diwrnod y daeth yn ôl yn fyw. 240
Benjamin Brawd bach Joseff. 46
Bethlehem Y dref lle cafodd Iesu ei eni. 132
brenin Daeth Dafydd yn frenin. 82
Dwedodd yr angylion mai brenin arbennig Duw oedd Iesu. 132
Mae sawl brenin a rheolwr yn y storïau ar dudalennau 46, 58, 94, 106 ac 118.

C

caethwas Cafodd Joseff ei werthu fel caethwas. 46
Ar un adeg, caethwas oedd pob un o deulu Joseff yn yr Aifft. 58
Canaan Y wlad lle'r aeth pobl Abraham i fyw. 34
cariad Dwedodd Iesu lawer o bethau am gariad Duw at ei bobl a'i fod am iddyn nhw garu ei gilydd. 144, 156, 192, 204
colomen Anfonodd Noa golomen o'r arch i weld a oedd y dŵr yn cilio. 22
croes Cafodd Iesu ei roi ar groes bren i farw. 228
cwch Aeth Iesu mewn cwch gyda'i ffrindiau, y pysgotwyr. 180
Adeiladodd Noa gwch. 22
Aeth Jona mewn cwch. 94

D

Dafydd Y bugail bach fu'n ymladd gyda'r cawr a dod yn frenin. 82

dameg Dyma'r enw sy'n cael ei roi weithiau ar un o storïau Iesu. 192, 204.

Daniel Cafodd Daniel ei daflu i'r llewod. 106

doethion Cafodd y tri gŵr doeth eu harwain at Iesu gan y seren. 132

Duw Duw wnaeth y byd. 10
Mae storïau'r Beibl i gyd yn sôn am Dduw a'r bobl.

E

Efa Dyma enw'r ddynes gyntaf un. 10

enfys Rhoddodd Duw enfys yn yr awyr i ddangos fod y dŵr mawr wedi mynd ac i addo cadw'r byd yn ddiogel am byth. 22

G

Goliath Y cawr mawr fu'n ymladd gyda Dafydd. 82

gweddi Siarad gyda Duw – mae storïau am bobl yn siarad gyda Duw ar dudalennau 82, 94, 106, 118 a 228.

gweddi arbennig Iesu 216

gwyrthiau Fe wnaeth Iesu wyrthiau wrth iacháu pobl. 156, 168

I

Iesu Dwedodd yr angylion mai Iesu oedd mab Duw. 132
Mae pob stori o dudalen 132 ymlaen yn sôn am Iesu.

Iorddonen Yr afon ar ffin gwlad Canaan. 70

Isaac Enw mab Abraham a Sara. 34

J

Jacob Tad Joseff. Rhoddodd gôt hardd i Joseff am ei fod yn ei garu. 46

Jericho Dinas yng ngwlad Canaan. Fe helpodd Josua i'w choncro. 70

Jeriwsalem Y ddinas fawr gyda'r deml ar y bryn –
helpodd Nehemeia i'w chodi wedi'r rhyfel. 118
Aeth Iesu i'r Deml yno pan oedd yn fachgen. 144
Wedi iddo dyfu'n ddyn, collodd Iesu ei dymer wrth weld
beth oedd yn digwydd yn y Deml. 228
Jona Y dyn redodd i ffwrdd rhag gwneud beth roedd Duw
ei eisiau. 94
Joseff Roedd un Joseff yn enwog am fod
ganddo gôt hardd. 46
Gŵr Mair, mam Iesu, oedd y Joseff arall.
132, 144
Josua Josua wnaeth arwain y bobl i wlad
Canaan wedi i Moses eu helpu i ddianc o'r Aifft.
70

Ll

llewod Cafodd Daniel ei daflu i'r llewod. 106

M

maddau Mae Duw yn maddau i bobl ac mae am i bobl
faddau i'w gilydd hefyd. 46, 94, 118, 168, 204, 216, 240
Mair Mam Iesu. 132
Miriam Chwaer Moses. 58
Moses Dewisodd Duw ef i arwain y bobl o'r Aifft i'w
gwlad eu hunain. 58, 118, 144.

N

Nasareth Cartref Iesu pan oedd yn blentyn. 132, 144
nefoedd Dyma lle mae Duw. 204, 216, 240
Nehemeia Y dyn wnaeth berswadio'r bobl i ailgodi
Jeriwsalem. 118
Ninife Y ddinas lle cafodd Jona ei anfon gan Dduw. 94
Noa Y dyn gafodd ei ddewis gan Dduw i achub ei deulu a
phob math o anifail o'r dŵr mawr. 22

O

offeiriad Rhywun sy'n helpu pobl i addoli Duw. 118, 192